CARAMEL
et ses découvertes

DU MÊME AUTEUR

Le Guide de l'Orthographe, Les Publications Éclair, Québec, 1971.

Tous Contes faits, Marcel F. Raymond Éditeur, Québec, 2001.

L'amour inconnu – roman, Éditions Bénévent, France, 2003.

Sont-ils bêtes ? – nouvelles, Éditions Société des Écrivains, France, 2004.

Rythmes et sons, jeux et couleurs – poèmes, Éditions Trafford, Colombie-Britannique, 2006.

Quand le cœur parle – roman, Éditions Trafford, Colombie-Britannique, 2006.

Sonatines – poèmes, Éditions Trafford, Colombie-Britannique, 2007.

Les Immortelles d'Amérique – roman, Les Éditions Carte Blanche, Québec, 2007.

Des pensées sans compter, Les Éditions Carte Blanche, Québec, 2008.

Si Dieu le veut – roman, Les Éditions Carte Blanche, Québec, 2008.

Histoires de cœur – poèmes, Les Éditions Carte Blanche, Québec, 2009.

La messe est finie – roman, Les Éditions Carte Blanche, Québec, 2009.

Jean Di Tomaso

CARAMEL

et ses découvertes

CARTE **BLANCHE**

Avertissements

Même si ce roman demeure une œuvre d'imagination,
il s'appuie sur des faits et des personnages réels.
Pour préserver leur anonymat, les noms
des protagonistes ont été modifiés. Seules sont authentiques
les appellations de lieux, de rues et d'institutions.

Dessins : Agathe Bray-Bourret

Éditions Carte blanche
1209, avenue Bernard Ouest, bureau 200
Outremont H2V 1V7 (Québec)
Tél. : 514-276-1298 - Fax : 514-276-1349
carteblanche@vl.videotron.ca
www.carteblanche.qc.ca

Distribution au Canada : SOCADIS
514-331-3300

À Thomas et Alexis Leduc, mes petits-fils

*La confiture n'est bonne que s'il faut monter
sur une chaise pour attraper le pot dans le placard.*
Alexandre VIALATTE

*Neuf personnes sur dix aiment le chocolat ;
la dixième ment.*
Maxime américaine

1

« J'aimerais l'appeler Aimé », avait insisté ma mère Betty. Elle tenait à tout prix à me donner ce prénom. Elle faisait part de son intention à la famille et aux amies.

Peu avant ma naissance, mes parents avaient discuté fermement. Ils avaient demandé l'avis des amis et des grands-parents. Sans succès. Personne ne voulait se mouiller. Selon eux, la question était plutôt délicate.

— Je m'oppose ! intervint mon père Rémi. Est-ce qu'on a réfléchi à la question ? Que se passera-t-il quand on prononcera son patronyme à haute voix ?

Même si la moutarde lui montait au nez, il s'efforçait de rester calme. Ce choix lui semblait dérisoire. Il respectait trop ma mère pour dévoiler le fond de sa pensée.

— On se moquera de lui un peu partout, ajouta-t-il. C'est évident.

Il se racla la gorge à quelques reprises. Ma mère le regardait en silence.

— Que fera-t-il ? reprit mon père. Ira-t-il se cacher ? Sera-t-il traumatisé ? Est-ce qu'il changera de prénom, une fois adulte ? On m'a assez taquiné dans ma jeunesse. On disait : « Do, *Rémi*, fa, sol, la, si, do. »

Il fit une pause. Il permettait à ma mère de prendre la parole. Le silence de cette dernière était éloquent.

— On le chantait sur tous les tons, poursuivit-il. On me chahutait. J'ai versé des torrents de larmes.

Il n'avait jamais raconté à quiconque ses souvenirs d'enfance. Il plongea en lui-même. Il en extirpa des bribes. Ces remontées le faisaient encore souffrir. Il fallait le voir.

— Je me morfondais de honte, continua-t-il. Mes poings servaient de réponse. J'ai attaqué mes adversaires de temps à autre. J'ai toujours eu le dessous. Je n'étais pas assez fort. Je rentrais à la maison, le caquet bas et couvert de bleus.

Il baissa la tête. Il prit une grande respiration.

— Je n'avais pas le sens de l'humour à l'époque, admit-il. Je devais apprendre à rire de moi. Le silence est la meilleure défense. Je ne le savais pas dans le temps. Mais allez donc vous fermer la *trappe* quand on est attaqué ! Est-ce qu'on doit tout supporter parce qu'on est petit ? Est-ce que les grandes personnes observent la même attitude ?

Il se leva de sa chaise. Il en fit le tour. Il se rassit.

— J'avais reçu pour mon anniversaire de naissance un gros canif, déclara-t-il. Il était muni de tous les dispositifs inimaginables : tire-bouchon, ouvre-bouteille, tournevis et autres. La lame faisait mon orgueil. Elle était finement ciselée. J'ai montré ce couteau à des amis.

Évidemment, il ne savait plus comment faire cesser ces taquineries.

— Un beau jour, je l'ai brandi devant mes opposants. Je voulais du plus profond de mon cœur les effaroucher. On n'arrêterait de s'en prendre à moi impunément! Du moins, je le pensais. Je n'avais pas l'intention d'utiliser cette arme. Un fou dans une poche! Sinon, j'aurais déplié mon canif. La suite est facile à deviner. Ce qui devait arriver, arriva. On colporta l'incident aux autorités. L'institutrice se fit un plaisir de me gronder. On me mit en pénitence. On se servait encore de la retenue à la petite école que je fréquentais. On avertit aussitôt mes parents.

Betty n'osait pas interrompre son mari.

— Évidemment mes parents me chicanèrent. Ils m'enlevèrent le canif. Ils me le rendraient quand je serais plus grand. J'eus beau expliquer la situation, promettre que je ne recommencerais plus. Rien à faire! Inutile de dire que je me sentais plutôt démuni. Mon père était un homme passablement colérique. On ne riait pas avec lui. Le devoir, avant tout! Il s'apprêtait à m'administrer une formidable taloche. Ma mère s'est interposée. Sinon…

Il interrompit son récit. Bouche bée, Betty le contemplait avec des yeux gros comme ça.

— Ma mère décida qu'il fallait me punir, confessa-t-il. On me priva de dessert. On m'envoya réfléchir dans ma chambre. La tristesse m'envahit. Les larmes coulèrent. Je n'étais pas fier de mon coup. Qu'auriez-vous fait à ma place? Je devais subir cette injustice, sans ouvrir la bouche. Comme d'habitude, le paternel n'était pas d'accord. Il a maugréé des choses. Je ne sais trop lesquelles. Ou du moins, je ne m'en souviens plus. Puis il est sorti en coup de vent.

Rémi était du genre taciturne. C'était un taiseux. Il se confiait rarement; surtout en présence de ma mère. Heureusement, il s'est amélioré depuis.

— À l'école et dans la rue, balbutia-t-il, mon prénom attirait les quolibets. Plus je m'insurgeais et plus on me taquinait. Certains, pour s'amuser, d'autres, par méchanceté.

Mon père ne tenait pas à ce que je subisse le même sort que le sien.

— Le ridicule ne tue sans doute pas, avança-t-il. Mais il n'est pas question que mon fils s'appelle Aimé D'Amours!

Ma mère n'avait pas réfléchi. Je l'avais échappé belle! Elle lui donna raison.

Après bien des recherches et de nombreuses hésitations, mes parents tombèrent d'accord. C'est ainsi qu'ils me prénommèrent Charles.

Évidemment, je ne m'en souviens pas. J'étais trop petit. Rémi me l'a raconté.

~

Je grandissais à vue d'œil. Je n'étais pas une lavette, cela va de soi. Je n'avais pas besoin de me battre. J'imposais tout naturellement le respect. Est-ce que les enfants avaient changé? Ou plutôt, est-ce que les temps s'étaient transformés? Toujours est-il que j'étais le plus fort de mon groupe et le plus grand aussi. N'allez pas croire que j'étais idiot pour autant.

Curieux de tout, je montrai très tôt mon goût pour les chansons et la musique. J'adorais les animaux. Et surtout, je les comprenais, ce qui était assez rare. Je n'avais pas besoin de communication verbale. Je suppose que c'est la même chose pour tous les jeunes.

Ma mère ne haussait presque jamais la voix. Pour elle, ce n'était pas une bonne façon d'élever les enfants. Rien ne l'aurait fait changer d'avis. C'est pourquoi elle mettait son affirmation en pratique. Ma sœur Florence, ma cadette, pourrait en témoigner.

Betty avait vu différents animaux à la télévision. Les petits pouvaient jouer avec les pattes des aînés ou même leur mordiller la queue. Les mamans faisaient preuve de beaucoup de patience. Elles mettaient fin aux jeux quand il s'agissait de chasser. Il fallait se nourrir si on voulait survivre.

J'aimais le riz, les macaronis, le fromage et surtout le yogourt, peu importe le parfum ; aux fraises, aux framboises ou à la vanille. On m'a raconté que j'ai commandé des pâtes dans ma chaise haute. La serveuse m'expliqua gentiment que le restaurant ne servait que des mets à base de poulet. Malgré l'inconvénient, j'avais dévoré mon assiettée à belles dents. Le moyen de faire autrement. Je grandissais. Je l'ai dit tout à l'heure.

J'étais doux comme du bonbon. Au début, ma mère m'appelait Candy, par taquinerie.

Puis mon père nous raconta qu'il avait eu un cochon d'Inde du nom de *Caramel*. C'est ainsi que ce surnom s'est imposé de lui-même. Mes parents l'avaient sur leurs lèvres. Par la suite, ce fut au tour de la famille et des amis

Le temps des Fêtes approchait à grands pas ; le 25 décembre aussi ! Le père Noël et ses représentants occupaient nos pensées… et les centres commerciaux. Depuis longtemps, la neige avait envahi le pays. Les tempêtes se succédaient, parfois violentes, d'autres fois, non. Le ciel déversait souvent ses flocons et ses myriades d'étoiles. Les filles et les garçons se dépêchaient de chausser leurs patins. Certains jouaient au hockey. Des crèches se dressaient partout. Des arbres scintillaient de mille feux. La perspective de recevoir des cadeaux nous excitait. J'avais hâte. Aurais-je fait exception ?

Un samedi soir, Anatole, l'un des frères de mon père, avait reçu toute la famille. Nombreuses, les décorations brillaient, à l'extérieur comme à l'intérieur. Dès notre entrée, une bonne odeur de sapin nous sauta aux narines. Il n'était plus nécessaire de se protéger du froid. Nous avons donc enlevé tuques, gants, mitaines, bottes, foulards et parkas. Les souhaits, les poignées de mains et les embrassades voltigèrent aussitôt. Une musique de circonstance emplissait l'atmosphère de ses guirlandes joyeuses.

Un festin nous attendait. Les victuailles s'étalaient sur de grandes tables. On avait réservé des friandises pour les enfants. Certains adultes jouaient aux cartes à l'argent. Des nuages de fumée attaquaient nos yeux. Pendant ce temps-là, la plupart des femmes s'étaient retirées dans un coin de la salle de séjour. Elles voulaient faire la conversation sans être dérangées. Les plus jeunes dansaient au sous-sol. On se gavait de bière, de vin ou d'alcool. Le tout était accompagné de chips, de bretzels ou d'arachides.

— Luc ! Simon ! Venez ici ! s'écria mon oncle Anatole à travers le brouhaha.

Ses enfants s'approchèrent enfin de leur père. Ils traînaient les pieds. On avait interrompu leurs jeux intempestifs.

Il leur remit une liste et leur donna de l'argent.

— Habillez-vous chaudement, recommanda-t-il. Ce n'est pas le temps d'attraper la grippe. Dépêchez-vous. Je ne veux pas que vous vous amusiez en chemin.

Ils devaient aller acheter des denrées et des boissons, qui s'épuisaient rapidement.

— Moi aussi, je veux y aller, implorai-je.

Je voulais suivre mes cousins. Ils étaient mes aînés d'une dizaine d'années environ. J'avais deux ans et huit mois à l'époque. Devant mon insistance, ils n'avaient d'autre choix que de m'emmener. Ils durent m'attendre.

En cours de route, je parlai sans arrêt. J'avais la parole facile pour mon âge. Je suppose que cela les dérangeait. Je tenais à me faire comprendre. Je m'en souviens comme si c'était hier.

J'alignais mes pas sur les leurs. Je tenais à marcher. Après tout, je n'étais pas un bébé. Ils me demandèrent de surveiller le traîneau pendant qu'ils entraient au magasin.

Leur commission remplie, ils se sauvèrent à toutes jambes. Je tentai de les rattraper. Impossible ! J'étais trop petit. Je les regardai s'enfuir sur le trottoir. Puis je les perdis de vue.

C'est alors que je pris la direction opposée. Je décidai d'aller chez ma grand-mère à la ferme. Elle serait contente de m'accueillir. Elle me recevrait les bras ouverts.

Une neige épaisse s'était mise à tomber. Je ne gelais pas grâce à mes vêtements d'hiver. Heureusement que ma mère m'avait enseigné à traverser les rues aux feux de circulation. Il faut dire qu'à cette époque, les autos étaient rares.

Je déambulais allégrement quand un grand garçon m'accosta par derrière. Je ne l'avais pas entendu venir. J'étais perdu dans ma rêverie. Il tenait un bâton de hockey et poussait une balle de caoutchouc.

— Es-tu tout seul ? me demanda-t-il.

— Je suis un grand garçon, répondis-je.

— Que fais-tu dehors, le soir, et par un temps pareil ?

Je lui expliquai la chose du mieux que je pus. Nous continuâmes à parler. Je lui posai mille et une questions. J'appris qu'il célébrerait ses quinze ans la semaine suivante. Finalement, il glissa sa balle dans une de ses poches.

— Cette promenade te donne sûrement faim, fit-il. Que dirais-tu si on allait manger un peu ?

Normalement, je suis toujours prêt quand on me parle de nourritures. Je salivais déjà. Je voyais défiler devant moi mes plats préférés.

— Je n'ai pas d'argent sur moi, répliquai-je.

— As-tu faim, oui ou non ?

Je le regardai. Je ne répondis pas.

— Oublie ça, poursuivit-il.

Évidemment, un enfant a toujours faim.

— Je me charge de tout.

Il m'entraîna dans un restaurant. Les serveuses m'entouraient. Elles me dévêtirent. Elles riaient et s'extasiaient de mes réponses franches. On me demanda mon nom et mon adresse. Je m'exécutai de bonne grâce. Elles me donnèrent des biscuits au chocolat. Elles me firent boire. Elles glissèrent des pièces dans mes mains. Elles m'embrassèrent à tour de rôle. Ce furent mes premières conquêtes féminines. Elles sentaient tellement bon. Puis elles sautèrent sur le téléphone.

Une voiture arriva. La sirène hurla. Le gyrophare clignotait. Où se cachaient les malfaiteurs ? J'avais un peu peur. Deux hommes habillés comme des soldats descendirent de leur auto. J'avais déjà vu des spécimens à la télé. J'étais rassuré. L'un deux s'adressa au personnage qui semblait être le propriétaire.

L'autre policier me prit dans ses bras. Il ouvrit la portière. L'un de mes rêves se réalisait enfin. Je me baladais en voiture de police ! Il me donna de l'argent et une orange.

Au poste, on enleva mon manteau, mon chapeau et mes mitaines. Les pieds sur le bureau, le chef parlait haut et fort, au téléphone. Il avertissait mes parents. On me fit visiter les lieux, à ma demande. Les barreaux ne retenaient aucun prisonnier.

Mon père et son frère Anatole vinrent me chercher au poste. Évidemment, ma mère était morte d'inquiétude. Elle était rentrée à la maison. Elle gardait ma sœur qui dormait à poings fermés. Ma mère me prit dans ses bras et m'embrassa longuement.

— Tu nous as fait peur, pleurnicha-t-elle.

Fatigué, je m'endormis aussitôt, content que mon aventure se termine bien.

2

Les arbres s'habillaient de rouge, de pourpre, d'or, de jaune et même de rouille. Les couleurs ne manquaient pas. Les feuilles se faisaient belles. Coquettes, voulaient-elles nous séduire ? Ou bien fêter avec nous l'Halloween ? Nous les regardions tomber. Nous leur prêtions la plus grande attention. Pourtant, nous étions habitués à ce genre de démonstration. Les feuilles jonchaient les trottoirs et le sol. Elles agrémentaient les gazons. Nous les ramassions, soit à la pelle, soit une à une. Nous tenions à les examiner de plus près.

Fébriles, nous nous préparions à célébrer dignement la cueillette des friandises. Nous rêvions de remplir nos sacs. La perspective de la découverte nous faisait saliver. Qu'y a-t-il de plus fascinant que de déguster des bonbons et des chocolats inconnus ?

Les suggestions de déguisements se succédaient. Dans le passé, j'avais revêtu différents costumes : lion, fantôme, mousquetaire, Spiderman et Superman.

Cette année-là, j'avais décidé de me déguiser en pirate. Mais ma mère refusait que je m'affuble d'une jambe de bois et d'un crochet.

— Je l'ai vu à la télé! dis-je pour plaider ma cause.

Je parlementai comme un ministre en chambre. Je tenais à mon idée. Je déballai différents arguments. Elle était têtue. J'avais beau lui répéter que je prendrais garde, rien n'y faisais. Je me démenais comme un beau diable. Plus je défendais mon point de vue et plus elle maintenait ses positions.

— Est-ce que tu seras libre de tes mouvements? glissa-t-elle.

— Je ferai attention, murmurai-je. D'ailleurs, je ne serai pas seul.

— L'embarras te ramènera rapidement à la maison, poursuivit-elle.

Je repliai les bras sur ma poitrine. Je fis la moue, les yeux fixés au plancher.

— Veux-tu te faire mal?

Je ne répondis pas. Je regardais toujours par terre.

— Tu dois m'écouter. Sinon tu resteras dans ta chambre.

Elle fit une pause. Voyant mon attitude, elle adoucit la voix:

— Tu peux te déguiser en pirate, mais pas de jambe de bois ni de crochet. Il y a beaucoup de trucages au cinéma, tu le sais.

Je fis un dernier effort, sans conviction. C'était mon ultime tentative.

— C'est pour ton bien. Inutile d'insister! Acheva-t-elle.

Peut-on agir autrement quand on est jeune? En dernier ressort, je me pliai à sa volonté de mauvaise grâce.

Elle avait raison, je le reconnais aujourd'hui. Mais allais-je l'admettre ?

Elle saisit son appareil sur le comptoir de la cuisine. Je connaissais son intention. Pour chasser ma déception, elle prit plusieurs photos. Ma sœur Florence, déguisée en fée, y prenait beaucoup de plaisir. Elle souriait de toutes ses dents. Je bougonnais. L'envie de taper du pied me démangeait. Je relevai la tête. Je pris une grande respiration comme on me l'avait enseigné. Il fallait que je retrouve mon calme.

La soirée s'annonçait splendide. Nous sonnions aux portes éclairées. Le cœur battant, nous attendions avec impatience. Notre attente durait rarement plus d'une minute. Sa brièveté me semblait une éternité. Quand on nous ouvrait, c'était la fête.

En plus des sucettes, de la gomme à mâcher et des chocolats, certaines personnes nous donnaient de l'argent. Entre nos mains, les pièces s'entrechoquaient. Leurs sons nous enchantait. Neuves la plupart du temps, elles nous comblaient d'aise. J'avais retrouvé le sourire.

Des amis nous accompagnaient. Mon père tenait à tout prix à nous chaperonner. Il nous surveillait.

— Je ne veux pas, déclara-t-il, que vous traversiez les rues n'importe comment. D'ailleurs, vous serez un bon groupe.

Heureux et fier de moi, je retournai à la maison. Je m'empressai d'enlever mon costume. La chaleur inondait tout mon corps.

Après un bon bain, je plongeai dans mon trésor. Ma sœur Florence avait étalé ses friandises sur la table de la cuisine.

Morte de fatigue, elle s'était endormie. Avant de me coucher, je bus un peu de coke. J'avais l'autorisation de mes parents.

Je n'arrivais pas à trouver le sommeil. J'étais trop excité. Finalement, je sortis du lit. Mes parents regardaient la télé. Je m'aventurai prudemment dans la salle de séjour.

— Que fais-tu là ? me demanda mon père.

— J'ai soif, dis-je en bâillant.

— Pourtant, tu viens de boire, objecta ma mère.

Devant mon silence, elle ajouta :

— Bon. Ça va ! Un peu. Dépêche-toi. Après, tu retourneras te coucher. Demain, tu dois te lever tôt. L'école t'attend.

3

Qu'y a-t-il de plus excitant que la campagne pour un citadin ? Tard le vendredi soir, mais le plus souvent tôt le samedi matin, la voiture de mes parents s'emplissait de nos rires. Avant d'atteindre la ferme, l'auto parcourait la route pendant une heure et demie. Parfois plus. Nous connaissions le chemin par cœur.

Chaque semaine, Bella, ma grand-mère maternelle, nous accueillait les bras ouverts, le sourire fendu jusqu'aux oreilles.

Le plus souvent possible, elle s'amusait avec ma sœur et moi. Un après-midi d'automne, nous jouions à la cachette. Au cours d'une fausse manœuvre de sa part, elle s'écria : « *Ma* rein, *mon* patte. » Par la suite, nous la taquinions gentiment.

À peine rendu à la ferme, j'exigeais de monter dans un tracteur ou de me balader dans un tout-terrain que j'appelais un *quatre-roues*.

Plus jeune, je réclamais un *bâton doux*. Ma mère m'a raconté l'incident. Je ne connaissais pas encore le mot *coton-tige*. Elle finit par comprendre quand elle me nettoya les oreilles. Cette expression amusa beaucoup de monde. Elle est restée dans la famille.

Il ne fallait pas attendre une marque de familiarité de la part de Gaston, mon grand-père. Propriétaire d'une exploitation agricole, il s'y dévouait corps et âme. Les divers travaux de la ferme ne l'effrayaient guère.

À l'image de ses ancêtres, il menait encore ses vaches dans le pacage. Je l'accompagnais souvent. Son chien Yépas rassemblait parfois les animaux qui s'aventuraient en dehors des clôtures. Constamment aux aguets, il travaillait sans relâche comme son maître.

Papi adorait le pop-corn sucré et encore plus la crème glacée. Quand il démarrait son camion sans avertissement, nous savions ce que cela voulait dire. Il nous entraînait au village, ma sœur et moi.

Nous pénétrions dans le magasin. Notre langue humectait nos babines. Nos yeux s'impatientaient. Partout, des friandises et des odeurs indéfinissables. Il nous laissait choisir nos cornets. Je les dégustais à deux ou trois boules et toujours au chocolat. Plus rarement au caramel. Il se régalait de nous voir manger comme de petits cochons. Il ne se privait pas pour autant de sa collation préférée. C'était devenu une véritable cérémonie.

Les fromages durs constituaient l'un de ses goûters préférés. Il les mettait au four avec des tranches de pain qu'il beurrait au préalable. Il partageait avec nous. Homme frugal et taciturne, il nous offrait un exemple de sa sagesse.

∾

Un joli ruisseau coupait en deux le cœur des champs. Nous gambadions sur les ponts de bois. Leurs dos se plaignaient sous nos pas, surtout quand nous sautions à pieds joints sur les planches. Dans les interstices, le sable s'élevait en fine poussière que le vent chassait aussitôt. Un peu plus loin, le cours d'eau formait une petite cuvette noyée par les arbustes. La limpidité de l'eau m'étonnait.

Il arrivait souvent qu'un héron s'envole sous nos yeux ébahis. Toutes sortes d'oiseaux chantaient. Certains, à gorge déployée; d'autres, en sourdine. Parfois des hirondelles zigza-guaient au-dessus de nos têtes. Elles plongeaient pour se désaltérer ou attraper un insecte quelconque. Elles improvi-saient un ballet aérien. Puis, elles montaient et se perdaient dans le ciel.

Des fleurs de différentes couleurs se balançaient sur leur tige. Elles égayaient le vert chatoyant des prés.

De fortes odeurs embaumaient la terre. Le nez le plus fin n'aurait pu les déceler une à une. Elles nous survoltaient. Nous aurions voulu nous envoler.

Des sauterelles grésillaient. Leur stridulation se mêlait aux bruits de la nature en fête. Elles se dissimulaient parmi la jungle des blés et des seigles. Leur tapis ondulait mollement sous l'action des vents discordants.

Les eaux stagnantes recèlent des êtres mystérieux. Qui n'a jamais été fasciné par les patineurs d'eau ? On les appelle aussi gerris. Comment réussissent-ils à glisser aussi rapidement à la surface des étangs ?

Des poissons brillaient au soleil. Ils lançaient des éclairs de joie dès que nous trempions nos lignes. Ils sortaient par dizaines et se jetaient sur nos appâts comme des affamés. Mon père m'avait appris à chercher dans le tas de fumier pour cueillir des vers. Il transportait un seau. Nous le remplissions au ruisseau en vue d'y mettre nos prises.

Il nettoyait consciencieusement les poissons. Ma grand-mère les badigeonnait de farine. Elle les saupoudrait de condiments. Puis elle les faisait frire. Nous nous régalions. Quel délice !

Mon grand-père ne comprenait rien à la pêche.

— Vous perdez votre temps, disait-il chaque fois que nous partions. Pourquoi n'utilisez-vous pas un filet ? Ça irait plus vite.

4

Je me méfiais de Bruno, l'un des fils de Bella et de Gaston. Il avait l'intention de nous surprendre en imitant les hurlements d'une bête féroce. Comme d'habitude, nous pêchions dans le ruisseau. Le soleil grimpait dans le ciel. Il fallait rentrer pour le repas du midi.

Nous avions abandonné le chemin habituel. Pour quelle raison ? Je ne saurais le dire. Une intuition de mon père, sans doute. Nous déambulions d'un bon pas. Les chansons se succédaient sans interruption. Du moins celles dont nous connaissions les paroles.

Toujours est-il que mon oncle avait été déçu de ne pas nous trouver. Sur le chemin de retour, il s'imagina qu'un ours le poursuivait. Il prit ses jambes à son cou dans la forêt. Chaque arbre se transformait en sorcière. Il avait laissé son fusil à la maison. La saison de la chasse était fermée.

Tout à coup, le tonnerre éclata. Des torrents de pluie s'abattirent soudain. Il arriva hors d'haleine et trempé jusqu'aux os. Nous n'osions pas rire de lui ouvertement... même si nous nous mordions les lèvres.

Quand une maladie bénigne m'affectait, mamie se rendait dans les champs. Elle cueillait des herbes. Elle les faisait bouillir. Je devais boire la décoction. Insidieuse, son odeur inhabituelle me collait dans le nez et la bouche. Pour chasser le goût amer, elle glissait un peu de sucre dans la tasse. Peu de temps après, je pouvais reprendre mes jeux.

~

Je me tenais loin de Bruno. Je me méfiais de lui, je l'ai dit tout à l'heure. Malgré tout, il réussissait à m'attraper au moment où je m'y attendais le moins. J'avais beau me débattre, il m'empoignait solidement. Il était costaud et plus âgé que moi d'une dizaine d'années. Il me chatouillait tant que je n'avais pas mouillé mes pantalons. Je devais me changer. La situation l'amusait. Il riait à se décrocher la mâchoire. On aurait dit un possédé. Ma mère fulminait contre son frère. Elle perdait patience. Elle l'injuriait. Il se moquait d'elle.

~

Enfant, il avait mis le feu aux rideaux de la cuisine. Ma grand-mère, Bella, avait éteint l'élément destructeur.

— Bruno! Veux-tu bien me dire ce qui t'a pris de faire cela? lui avait-elle demandé.

— Les anges m'ont poussé, avait-il répondu sans sourciller.

Bella avait hoché la tête de gauche à droite. Elle aurait voulu le punir. Mais à quoi bon ? Comprendrait-il ? Il était sûrement irresponsable. Elle lui avait ordonné de ne plus recommencer. Elle le connaissait. Il trouverait autre chose pour se faire remarquer.

Ce jour-là, il m'avait attrapé par les chevilles. Il me tenait à l'envers à bout de bras. La fenêtre du deuxième étage ouverte, il me secouait énergiquement. Il menaçait de me jeter dans le vide, tête la première.

— Dis pardon à ton oncle, avait-il rigolé, sinon je te laisse tomber.

Inutile de dire que je gigotais. Je hurlais à perdre haleine. Le vertige s'était emparé de moi.

Ma mère m'avait délivré à temps.

Il inventait constamment des jeux cruels. Il aurait pu remporter facilement le championnat des mauvais coups. Personne n'arrivait à lui faire entendre raison.

Avec des copains, il s'était emparé furtivement d'un bébé. Il l'avait déposé dans une boîte. Ces derniers avaient transpercé, de tous côtés, le carton à coups de couteaux. Ils imitaient un personnage de la télévision. Heureusement, le nourrisson n'avait rien eu. Pas même, une égratignure!

Une autre fois, il jouait sans faire attention, selon son habitude. Ce qui devait arriver, arriva. Il s'écroula de tout son long. Dans sa chute, il rencontra le coin d'une chaise de bois, sous les yeux horrifiés de sa mère. Le sang pissait sur son visage.

— Je ne veux pas mourir, pleurait-il, aveuglé.

Ma grand-mère avait dû le conduire à l'hôpital. Pendant tout le trajet, il répéta la même phrase. Trois points de suture ornaient son arcade sourcilière. Il la montra à tout le monde. Par la suite, il se vanta de sa blessure, comme s'il s'agissait d'un trophée.

Pour son plaisir, il mordait les enfants de son entourage. Pour décourager cette fâcheuse manie, Bella imprima ses dents dans le cou de mon oncle. Sur le moment, il cria. Mais rien ne pouvait mettre fin à ses mauvaises habitudes. Mamie était désespérée.

Adolescent, il avait commencé à fumer la cigarette malgré les nombreuses mises en garde. Il s'était fait prendre à quelques reprises.

5

Loin de la maison, se prélassait au soleil un marais. Des canards barbotaient allégrement à la recherche de nourriture pour leurs petits. Des plantes aquatiques proliféraient sur trois côtés. L'autre partie ensablée formait une petite plage. Des touffes et surtout de longues tiges baignaient dans les eaux glauques. Leurs pieds s'incrustaient dans la vase. Ces herbes cachaient une multitude d'êtres vivants. Nous poursuivions des couleuvres inoffensives, sans jamais les attraper. Elles serpentaient vivement entre les roseaux et les quenouilles. Elles se réfugiaient dans les phragmites. Ces graminées se multiplient rapidement et forment une famille compacte.

Au crépuscule, les eaux dormantes révélaient une foule de grenouilles. Leur coassement rythmé nous envoûtait de leur musique lancinante.

Vif comme l'éclair, Bruno attrapait des ouaouarons. Il insérait des cigarettes allumées dans leur gueule. Incapables d'expirer, ces animaux enflaient à vue d'œil. Ils finissaient par éclater. Autant ce spectacle m'horripilait, autant il l'amusait. Il racontait à qui voulait l'entendre que je ne serais jamais un homme.

Mariette, l'une des ses sœurs, portait un short assez court. L'été battait son plein. Il avait éteint sa cigarette sur la cuisse de la jeune femme.

On le surnommait œil-de-lynx. Il aurait pu devenir facilement lanceur au base-ball. Poursuivi par Yépas, un écureuil s'était réfugié au sommet d'un poteau. Il ramassa une pierre et la lança. Le rongeur tomba devant le chien enragé qui le déchiqueta. Il n'en restait que de la charpie. J'assistai, muet, à cette démonstration de force.

Combien de fois, j'ai contemplé ses exploits ! Il tenait à tout prix à m'associer à ses prouesses. Il s'exerçait souvent au tir à la carabine. Il déposait sur des piquets des cannettes vides. Il s'éloignait. Il visait. Il ratait rarement sa cible, pour ainsi dire, jamais.

~

Un beau jour, nous devions pêcher dans une grosse rivière. Au début, on refusait ma présence. Devant mon insistance, on consentit à m'emmener. Fernand, le frère cadet de Bruno, avait promis de s'occuper de moi.

Nous marchions joyeusement à travers champs. Puis nous nous enfonçâmes dans les bois. Nous longeâmes une voie ferrée. Il fallait franchir un pont qui enjambait le fameux cours d'eau en question. Les rails étaient posés sur des traverses ajourées. J'apercevais la rivière au fond du ravin. Incapable d'avancer, je restai figé à quatre pattes. L'eau m'attirait dans les fentes. Bruno se moquait de moi. Fernand vint à mon secours. Il me transporta sur son dos. Je me fermais les yeux. J'agrippais mon oncle du mieux que je pouvais. Qu'aurions-nous fait si un train était survenu ? Je ne savais pas nager.

Finalement, nous descendîmes au bord de la rivière.

Le clapotis crépitait sur la grève caillouteuse.

Mes oncles et mon père capturèrent des achigans et des brochets. Quant à moi, je me suis contentai de perchaudes et de crapets-soleils. Il est à remarquer que ces poissons se débattent furieusement. Mes prises me remplissaient de joie.

Je regardais travailler mon père. Il était très habile de ses mains. Il pouvait réparer n'importe quoi. J'enviais ses talents. Il faisait preuve de beaucoup d'imagination.

Depuis quelque temps, mamie se plaignait de son armoire. Elle commençait à pourrir. Mon père mélangea lui-même le ciment. Travaillant toujours seul, il répondait patiemment à mes nombreuses questions. Il inséra dans cette matière des fragments de marbre. Ma grand-mère appréciait au plus haut point son *terrazzo*. Une véritable mosaïque abstraite recouvrait le hall d'entrée, les escaliers et le dessus de l'armoire.

Plâtre, fer, bois ou marbre, rien ne résistait à mon père. Ingénieux, il sculptait dès que l'occasion se présentait. Il a même fabriqué des plombs pour aller à la pêche.

~

Les rayons du soleil oblique se dépêchaient d'enflammer les vitres. Le soir descendait inexorablement. Les ombres commençaient à recouvrir la nature entière. Tout était paisible. Pendant que certains animaux s'assoupissaient, d'autres sortaient de leur léthargie. Ils s'ébrouaient. Ils commençaient à rechercher leur pitance.

Nous gardions le silence sur la terrasse. Ma grand-mère avait éteint toutes les lumières. La rosée étendait ses mousselines vaporeuses. Voilés de blanc laiteux, les champs se transformaient. Les couleurs devenaient diaphanes, irréelles.

Une grosse lune affichait déjà son rire gras. Les hurlements des loups se répercutaient au fond des bois. Leurs échos lugubres m'étreignaient le cœur.

Pour notre plus grand plaisir, des mouches à feu clignotaient de temps en temps. Gaston rallumait sa pipe pour la centième fois, de sorte qu'on ne savait pas si c'était la lueur du tabac ou celle des insectes. Mes oncles s'amusaient au village.

Des engoulevents chassaient des insectes. Ces oiseaux répétaient à l'infini leurs mélopées mélancoliques et envoûtantes : *oui pour oui, oui pour oui, oui pour oui...*

On ne voyait plus rien. Il fallait rentrer. Je quittai mon poste d'observation à regret. Ma toilette faite, je montai me coucher.

6

Tout le contraire de son frère, Fernand avait recueilli un oiseau blessé. Il l'avait déposé gentiment dans la remise. On avait entreposé différents instruments aratoires, des outils de toutes sortes ainsi que du bois de chauffage. Il prenait soin de la corneille. Il la nourrissait. Il renouvelait son bol d'eau, tous les matins. Il voulait lui apprendre des mots. Impossible, car elle croassait tout le temps. Elle tenait sans doute à appeler ses congénères ou à les avertir. J'aurais aimé comprendre son langage.

Nous entrions deux ou trois fois par jour dans l'abri. L'oiseau nous observait d'un œil froid. Nous aurions pensé qu'il nous jetait un regard mauvais, s'il avait été humain. Il s'éloignait en se traînant. Il montait péniblement sur une bûche. Nous ne pouvions pas l'approcher. Il se méfiait de nous.

Un après-midi, l'oiseau se mit à voleter. Puis il effectua des rondes au-dessus de nos têtes. D'un pas décidé, Fernand alla ouvrir les portes toutes grandes.

Évidemment la corneille recouvra sa liberté. Elle se posa sur un poteau. Perchées tout près dans des arbres, ses semblables donnaient de la voix.

— Elles se parlent, commenta Fernand. Elles sont contentes de retrouver leur compagne. Elles me remercient.

Abasourdi, je regardai mon oncle. Comprendrait-il le langage des oiseaux ?

Impossible de regarder le soleil en face. Il nous brûlait les yeux. Imperturbable, il montait et incendiait le ciel de ses rayons incandescents. L'horloge venait de sonner ses douze coups. Le silence régnait en maître. Nous mangions une salade que mamie et ma mère avaient préparée. On entendait seulement le cliquetis des ustensiles. Personne ne parlait. Il faisait trop chaud. Mon père et mes oncles étaient partis à la pêche sur la grande rivière. Mon père m'avait laissé dormir, malgré sa promesse de me réveiller. On ne voulait pas de moi. L'évidence me crevait de dépit.

Mamie s'était dirigée vers la porte d'entrée. Elle se retourna. Elle nous fit un signe de la main. Elle mit l'index de sa main gauche sur sa bouche. Elle chuchota. C'était à peine si nous pouvions l'entendre. Elle nous demanda de ne pas faire de bruit.

Intrigués, nous nous approchâmes en silence. Stupéfaits, nous aperçûmes au travers de la moustiquaire un renard roux. Étendu sur le sable, il se chauffait au soleil. Il regardait nonchalamment le poulailler. Il réfléchissait sans doute au moyen d'attraper des volailles. Aussitôt qu'il nous vit, il prit ses pattes à son cou.

— L'odeur l'a sans doute attiré, constata ma grand-mère. Les renards creusent aisément. Une chance que notre clôture est solide. Elle est fichée dans du ciment qui descend dans la terre à une bonne profondeur. Gaston avait prévu le coup.

~

Un feu faisait rage dans la cheminée. La fumée emplissait la salle de séjour et la cuisine. Il fallut sortir à l'extérieur. Mes oncles montèrent rapidement sur le toit. Des voisins accoururent. Ils déversèrent des masses d'eau. Ils éteignirent l'élément dévastateur. Par la suite, on procéda au ramonage.

Le mal avait été fait. Les fenêtres et les portes ouvertes, on constata les dégâts. Les pompiers arrivèrent. Leur retard nous amusait, nous les enfants.

Il fallut repeindre. Mes oncles et mon père s'employèrent à cette tâche en chantant et en sifflant.

~

Le rendement du potager était phénoménal. Tout poussait à vue d'œil. La profusion des tomates, des haricots, des concombres, des carottes, du maïs, des fines herbes et des pommes de terre nous étonnait.

Mes grands-parents cultivaient, entre autres, des cerises de terre, des fraises et des framboises qui se multipliaient rapidement. Le moment venu, mamie et ma mère confectionnaient des confitures en grande quantité. Elles faisaient des conserves. Elles cueillaient aussi des betteraves. Elles les assaisonnaient. Elles les mettaient dans des pots en verre. Nous pouvions nous délecter, une bonne partie de l'hiver.

~

Il fallait rassembler les vaches, le soir. Chacune s'installait selon un rang bien déterminé. Quand on observe attentivement ces animaux, on constate qu'une hiérarchie s'est établie. On ne parle donc pas de hasard.

Mes oncles procédaient à la traite, tôt le matin et en fin d'après-midi. Mon grand-père se rendait à l'étable quand ses autres obligations le permettaient.

Fernand avait célébré au village. Il avait pris environ quatre heures de sommeil. Bien assis sur une escabelle, soit un banc à trois pieds, les mains encadrant les pis, il s'était endormi sur les flancs d'une vache. Évidemment, il avait cessé toute opération. Au bout d'un certain temps, l'animal lui avait donné un formidable coup de queue.

Incapable d'intervenir, j'avais assisté à la scène. Inutile de dire que Bruno raconta l'événement à satiété. L'incident fit vite le tour du village et des fermes. Il en rit encore.

7

« Regarde, grand-maman, une chenille ! » m'exclamai-je. Elle
avait de belles couleurs. Elle était orangée, striée de noir.
J'allais mettre le pied dessus. Il faut dire que j'avais découvert un sphinx vert sur une tomate à moitié dévorée. Papi
m'avait demandé de tuer la chenille.

— Il ne faut pas l'écraser, intervint Bella.

— Pourquoi ?

— Elle deviendra un joli papillon, poursuivit-elle. Elle
portera le nom de monarque.

— Qu'est-ce que ça veut dire monarque ?

— Roi, si tu préfères.

— Pourquoi l'appelle-t-on ainsi ?

— Bonne question ! Je ne sais pas. Quoi qu'il en soit, la
maman pond un œuf dans une plante. Suis-moi, je vais te
montrer. Promets-moi de ne pas toucher.

Je glissai mes mains dans mes poches. Elle se rendit dans
un champ. Je la suivis. J'étais curieux. Je voulais apprendre.

— Voici une asclépiade. Elle donne normalement des
fleurs roses en boules. Tu vois ? Quand je la brise, il en sort du
latex. Regarde bien le renflement sur la tige. Cette boule

contient probablement un œuf de monarque. Au sortir de son logis, la chenille sera très petite. Elle grandira. Elle se nourrira exclusivement de cette plante vénéneuse.

— Ça veut donc dire qu'elle va s'empoisonner !

— Au contraire. Pas un animal n'osera l'avaler. Elle éloigne les oiseaux et les autres prédateurs. Elle s'enfermera dans un cocon. Un papillon en sortira. Songe à ce qu'il aura fallu de transformations. Chenille, elle mangeait des feuilles. Elle avançait grâce à ses fausses pattes. Devenue papillon, elle perdra sa bouche. Le papillon posera ses six vraies pattes sur les plantes. Il utilisera sa trompe pour boire le nectar des fleurs. Le papillon renferme la chenille. Pourtant il n'est plus une chenille. Il nous semble fragile. Il voltige de fleur en fleur. À l'automne, il parcourt des milliers de kilomètres. Il émigre au Mexique. Au printemps, il revient dans nos contrées. Et le cycle recommence.

Muet, j'observais mamie. Elle en savait des choses !

— Nous sommes des papillons redevenus chenilles, continua-t-elle. Observe la nature. Elle nous donne des leçons. Elle nous apprend à vivre. C'est la meilleure école.

Je fredonnais allègrement une chanson de Félix Leclerc. Je connaissais mal les paroles. Seul, je me rendais au ruisseau. J'avais envie de voir de près l'un des ponts. Il m'attirait. Il me rappelait confusément un symbole. Lequel ? Je ne saurais dire.

Toujours est-il que je déambulais à la hauteur d'un arbre. Je revins sur mes pas. Perché sur une branche, un bel oiseau se dissimulait dans le feuillage.

Cette fois, je sifflai la même mélodie que mon chant. J'essayais de séduire le petit être. Avec mille précautions, je réussis à l'approcher. Il ne bougeait pas. Il semblait subjugué. Sa présence me fascinait. Je tendais mon index, pouce replié.

Au moment où j'allais le toucher, Yépas surgit en courant, langue sortie. Il s'immobilisa et jappa en direction de l'oiseau. Surpris, le geai s'envola.

Papi moustache – que j'appelai ainsi pour le différencier de mon grand-père Gaston – me demanda pourquoi j'avais fait cela.

— Je ne voulais pas le capturer, répondis-je. Je tentais de le charmer.

~

Grâce à ma grand-mère, j'avais appris à cueillir des noisettes. Des gants de cuir me recouvraient les doigts. Je ne devais pas me piquer. Quelque temps plus tard, ma poche de jute débordait. Je la frappai sur une pierre. Il fallait que je décortique les fruits. J'enlevai les écales. Je les jetai à la volée un peu partout. J'en croquai un certain nombre. Quel délice ! Je cachai mon trésor sous le perron. Je m'assurai qu'on ne m'avait pas vu.

Tôt le lendemain matin, je me rendis à ma cachette. Mes noisettes avaient disparu.

— Qu'as-tu à courir en tous sens ? me demanda ma mère.

— Mes noisettes ! J'ai été victime d'un vol. Je voudrais reprendre mon bien.

Je plongeai ma main dans le creux d'un arbre. Je sortis quelques poignées.

— Belle prise ! Es-tu sûr que c'est à toi ?

— Évidemment. J'ai travaillé très fort hier après-midi pour les casser.

— Est-ce que des gens s'occupent de toi ? Es-tu bien vêtu ? Manges-tu à ta faim tous les jours ? Tu enlèves peut-être le repas d'un écureuil ou d'une marmotte. Tu devrais leur laisser des noisettes. Du moins, une partie. J'aimerais que tu apprennes à partager.

J'étais mécontent. Je maugréais. Elle me mettait encore des bâtons dans les roues.

≈

Je me frottai les yeux. J'essayai de me réveiller. Pourtant, je m'étais couché tôt.

Je me souvins tout à coup. La veille, je m'étais assis furtivement dans l'escalier. Je le faisais souvent. Qu'y a-t-il de plus intéressant que d'écouter les conversations des adultes ? J'avais découvert bien des secrets de famille. Je gardais jalousement ces découvertes. C'est pourquoi, je n'en soufflais mot à qui que ce soit. Les yeux lourds de sommeil, je finissais par retrouver mon lit.

À mon réveil, je descendis les marches. Je jetai un coup d'œil sur l'horloge. Tout le monde ronflait encore. Seul mon père était debout et s'efforçait de ne pas faire de bruit. Il s'affairait en silence. Cependant, j'entendais distinctement ses pas dans la cuisine.

— Que fais-tu si tôt? lui demandai-je.

— Tu es debout? glissa-t-il le dos tourné.

Il ne répondait pas à ma demande. Je réitérai mon interrogation.

— Comme tu vois, fit-il en se retournant vers moi. Je termine des sandwiches au jambon, au fromage et aux tomates. Je les emballerai tout à l'heure.

— Pourquoi faire?

— Je m'en vais à la pêche.

— Tout seul? me risquai-je.

— Avec une autre personne, fit-il le plus sérieusement du monde.

— Ah! marmonnai-je. Avec qui?

— Un garçon. Je ne sais pas si tu le connais. Il a un drôle de surnom. Ça commence par un « C ». Il me semble que c'est...

— C'est moi! m'exclamai-je.

— Pas si fort. Tu vas réveiller toute la maisonnée.

— Ça veut dire que toi et moi on s'en va tout seuls?

— Évidemment. Que veux-tu manger ?

— Des rôties, des œufs au bacon et des tranches de ched-
dar et de tomates.

Après le petit-déjeuner et les préparatifs d'usage, nous avons empruntâmes le sentier. Nous dépassâmes les bâtiments de la ferme. Le cœur léger, je dédaignai le ruisseau et son ponceau. Je me hâtais. J'avançais allégrement.

Nous atteignîmes l'orée de la forêt. Nous avions de la difficulté à mettre un pied devant l'autre, des bouquets d'arbrisseaux nous interdisaient les grandes enjambées. Impossible d'apercevoir le ciel à cause de la végétation dense. Bientôt, une eau stagnante parmi les arbres nous retint prisonniers. Heureusement que j'avais enfilé des cuissardes. Nous avons tournâmes en rond pendant un bon moment. Il fallait se rendre à l'évidence. Nous étions perdus au beau milieu du bois.

Je tremblais. J'entendais toutes sortes de bruits. La peur me tenaillait au ventre. Mon père monta dans un arbre. Il redescendit de son perchoir. Il n'avait rien vu, si ce n'est que du vert partout. Il examina attentivement le pied des arbres.

— La mousse nous indique le nord, affirma-t-il.

Il m'expliqua les mesures à prendre dans de telles circonstances.

— Je pense que j'ai entendu un loup, chuchotai-je, terrifié.

— Mais non ! C'est un chien. Il n'y a pas de danger.

À moitié rassuré, je saisis la main de mon père. Nous ne retrouvâmes jamais la rivière. Après une marche de plusieurs heures, nous débouchâmes sur un chemin de terre. Il menait à une maison de ferme. Nous nous restaurâmes. Le fermier vint nous reconduire dans un vieux camion.

— Les gens de la ville se perdent facilement, se moqua de nous Bruno. On ne peut pas les laisser seuls, deux minutes. Je sortis en coup de vent. Je ne voulais plus l'entendre.

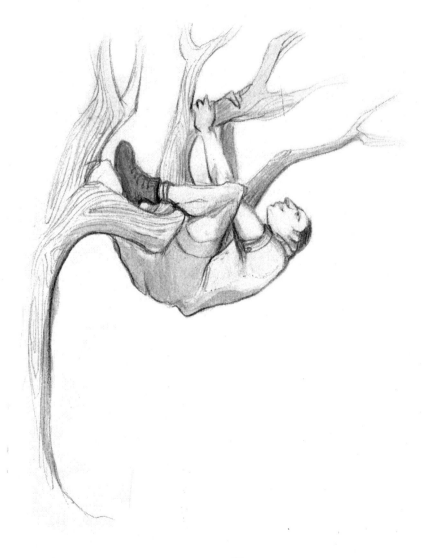

8

Il pleuvait à seaux ce matin-là. De véritables cataractes tombaient du ciel. On aurait dit un déluge. La terre ne parvenait pas à absorber toute l'eau. Tremblotantes, des flaques se multipliaient dans des endroits inattendus. Les gouttières n'arrivaient plus à se dégorger. D'immenses pans liquides frappaient les murs à répétition. D'autant plus que les vents s'étaient mis de la partie. Échevelés, ils soufflaient dans toutes les directions.

Yépas s'était abrité tant bien que mal sous le perron. Certains animaux sauvages avaient trouvé refuge dans la forêt ou dans leurs terriers. Le silence régnait dans le poulailler. On entendait de temps à autre des caquètements qui annonçaient l'arrivée d'un œuf. Les vaches beuglaient dans l'étable.

Les hommes avaient revêtus leur imperméable et leur casque de pluie. Dans le temps de le dire, ils avaient été trempés jusqu'aux os. Ils devaient poursuivre leurs travaux dans les écuries et leurs dépendances. Le retard indu n'existe pas à la ferme. Sinon, la catastrophe se pointe le bout du nez.

Les chutes d'eau persistaient. Avaient-elles l'intention de cesser un jour ?

Ma sœur, ma cousine, mes cousins, c'est-à-dire, Florence, Rosalie, Émile, Thomas, Alexis, Jérémie et moi-même avions épuisé nos jeux. Nous nous morfondions. Impossible de sortir à l'extérieur.

Pour chasser notre mauvaise humeur, grand-mère s'occupait de nous. Elle nous donna des cahiers à colorier. Nous nous sommes vite désintéressés des objets de nos convoitises. À sa demande, nous dessinâmes chacun un arbre.

Elle examina les résultats. Par la suite, elle nous fit réfléchir.

— Rosalie, pourquoi as-tu fait le tronc si gros ?

Pour toute réponse, ma cousine haussa les épaules.

— Tu ne sais pas. Peut-il en être autrement ? Tu le vois ainsi. Pour toi, son tronc te semble immense. Quand tu seras plus grande, tu l'interpréteras différemment. Tu reviendras à de plus justes proportions.

Elle scruta nos gribouillages.

— Chacun de vous a rendu un dessin différent. Qui a raison ? Qui a tort ? interrogea-t-elle. Vous avez dessiné ce que vous avez vu. C'est une tige munie d'une enveloppe. C'est son écorce. L'arbre porte des feuilles ou des aiguilles. Il donne aussi des fleurs et des fruits. Secouées, les semences voltigent dans le vent. Les samares qu'on appelle aussi hélicoptères tombent sur le sol. La plante peut atteindre des hauteurs vertigineuses, selon son espèce. Elle est fichée en terre grâce à ses racines. Celles-ci extraient tous les sucs dont l'arbre a besoin pour vivre. La sève se transporte dans toutes les branches. Elle les nourrit. De plus, l'arbre est composé d'innombrables cellules. En définitive, on peut dire que c'est un être vivant. C'est donc une merveille de la nature.

Ma mère prit la relève. Elle nous raconta des histoires. Nous étions assis par terre en demi-cercle. Nous savions que sa voix chaleureuse prenait toutes les inflexions requises. Nous fîmes silence. Nous étions suspendus à ses lèvres.

— Il y a de cela bien longtemps, au pays des lièvres, vivait un personnage excentrique. Il voulait être inventeur. Grand communicateur, il disait à tout le monde ce qu'il voulait faire! Dans un avenir rapproché, selon lui, tous les lièvres communiqueraient entre eux grâce un appareil de son invention. Il montrait fièrement ses plans à sa famille et à ses amis. On croyait qu'il était devenu fou... On le fit interner! Aujourd'hui, un autre lièvre soutient que la transmission de pensée sera l'apanage du plus grand nombre. Inutile de dire de quoi on le traite...

— Qu'est-ce que ça veut dire *lapanage*? demanda une voix.

— Apanage, pas *lapanage*! Ça veut dire qu'un beau jour, presque tout le monde utiliserait la télépathie.

— Une autre histoire! s'écria Rosalie.

— Un instant que je me remémore... Un coq voulant impressionner une poule, se creusait la cervelle. Il lui fit un joli cadeau. Elle était difficile et se demandait bien quoi faire de son offre. Elle examina le présent. Insatisfaite, elle le jeta bientôt.

Ma mère posa son regard sur chacun de nous. Elle se racla la gorge.

— Quelle est la moralité de cette histoire ? demanda-t-elle.

Devant notre silence, elle reprit.

— Elle est double. On ne doit pas offrir un cadeau pour se faire plaisir. Quand on reçoit un présent, il faut savoir l'utiliser. Si vous découvrez d'autres moralités, vous pourrez m'en faire part.

— Raconte-nous l'histoire des canards, supplia Thomas.

— Tu veux dire des hirondelles. Pourtant vous la connaissez.

— Encore ! s'exclama Jérémie.

— Comme vous voulez ! Deux jeunes hirondelles étaient tombées amoureuses l'une de l'autre. Elles partirent à la recherche d'un lieu favorable pour vivre ensemble. Elles visitèrent de nombreux endroits. Rien ne faisait leur affaire. Finalement, elles choisirent la corniche d'une grange. Elles essayaient de construire un nid. Le temps pressait, elles souhaitaient y accueillir leurs petits. Elles employaient différents matériaux. Peine perdue. La construction s'effondrait constamment. Après de vaines tentatives, le mâle voulut abandonner. La femelle refusait fermement. Une dispute s'ensuivit. En dernier ressort, ils demandèrent conseil à un couple plus âgé. Ceux-ci observèrent attentivement nos hirondelles. Ils examinèrent leur ouvrage. Elles ne manquaient pas de cœur, leurs efforts étaient innombrables !

« Vous avez de bonnes méthodes, conclurent-ils. Mais dédaignez le sable. Prenez avant tout de l'argile. Ajoutez quelques brindilles. Ce n'est pas ce qui manque. Votre nid sera bien armé. Il résistera aux intempéries. Vous pourrez même l'habiter si vous revenez, dans les années à venir. Évidemment, vous serez obligés de le solidifier à chacun de vos retours. »

J'avais entre trois et quatre ans à l'époque. Mes grands-parents m'avaient offert, entre autres, des poussins vivants à Pâques. Quel cadeau extraordinaire ! J'allais les voir dès mon arrivée à la ferme. Ce jour-là, je ne les trouvai pas. J'étais triste. Je les

appelai comme je le faisais habituellement. En vain. Je m'af-
folai.

Interrogée, ma grand-mère me révéla qu'ils avaient grandi.
Mon grand-père ajouta que leur duvet jaune s'était trans-
formé. Ils avaient maintenant des plumes.

Pour me consoler, mes grands-parents m'offrirent un veau.

Il fallait lui donner un nom. Je n'eus pas à me creuser les
méninges bien longtemps. Sa couleur m'indiquait le nom à
lui donner. J'ai décidai donc de l'appeler Lebrun. J'appris plus
tard qu'il s'agissait d'une vache.

9

La panique nous guettait. En un mot, une peur bleue s'était emparée de la grande majorité d'entre nous. Trois chauves-souris zigzaguaient dans la grande salle de l'école. Probablement qu'elles étaient entrées par une des fenêtres ouvertes. Qu'est-ce qui les affolaient tant ? Pourquoi volaient-elles éperdument ? Est-ce qu'elles cherchaient une issue quelconque ? Elles évitaient facilement les pièges.

Les rumeurs les plus folles circulaient à leur sujet. Certains prétendaient qu'elles se transformaient en vampires pour mieux sucer notre sang. D'autres soutenaient que c'étaient des diables. Au sortir de l'enfer, ils se déguisaient si bien que personne ne pouvait les reconnaître. Ils cherchaient à séduire les êtres humains et à les entraîner dans les flammes éternelles. Il fallait à tout prix détourner le regard et surtout ne pas leur toucher. La plupart des filles craignaient qu'elles s'agrippent à leurs cheveux.

Les plus braves, ceux qui ne croyaient à rien, tentaient vainement de les attraper.

Tout excité, je racontai l'événement à mes parents. Ma mère me demanda ce que je savais de la chauve-souris.

— Pas grand-chose! dus-je avouer.

— Cet animal à sang chaud, affirma-t-elle, a donné naissance à de nombreuses superstitions un peu partout sur terre. Notre pays compte environ douze espèces. Seul mammifère à voler, la chauve-souris se délecte d'une multitude d'insectes. Elle les capture grâce à son radar. Pour repérer ses proies, elle utilise l'écholocation. Tu as peut-être entendu ce mot à la télé. En plein vol, elle émet un cri ultrasonore. L'écho lui revient. Elle l'interprète. Elle évite donc les obstacles. Elle dort le jour et sort de sa cachette le soir ou la nuit. Certaines, en petit nombre, transportent la rage. Pour se défendre, elles ont tendance à mordre. C'est pourquoi, on évite de les manipuler. L'homme doit reconnaître l'utilité de ce mammifère. Pour satisfaire ta curiosité de plus en plus grande, tu peux poursuivre ta recherche comme bon te semble.

~

Roger et Stella, l'une des sœurs de ma mère, nous reçurent avec beaucoup d'effusions. Leurs enfants, Anne-Marie et Patrice, nous firent la fête. Notre éloignement durait depuis plus d'un an. Le courrier électronique nous permettait de garder le contact. Propriétaires d'une grande maison, ils nous cédèrent deux chambres à coucher.

Roger tenait à nous montrer le nouvel aménagement paysager derrière la maison. Après différents détours, un sentier de pierres, entouré d'arbustes, menait au centre du jardin. La pergola abritait des bancs de bois. De nombreuses fleurs mêlaient leurs arômes. Des fragrances suaves, parfois capiteuses, parfumaient l'atmosphère. Au fond, le vent poussait légèrement des balançoires près de glissoires rigides et d'autres jeux.

Originaire du Bas-Saint-Laurent, Roger connaissait bien la flore du pays.

— À Saint-Cyprien, confessa-t-il, j'ai commencé à m'intéresser en amateur aux plantes de mon patelin. Lors de mes études à Rivière-du-Loup, ma passion a pris une tournure dévorante. Ma rencontre avec Stella a changé ma vie. Par un concours de circonstances, nous nous sommes retrouvés à Jonquière.

Nous grimpâmes au sommet du mont Jacob. Splendide de là-haut, la vue est à couper le souffle. Quel panorama ! Puis la Rivière-aux-Sables nous attira. Elle traverse la ville avant de se

61

jeter dans le Saguenay. Des braves s'exerçaient à la descente en kayak. S'entraînaient-ils en vue de compétitions internationales?

Un barrage se dresse sur le lac Kénogami où la rivière Chicoutimi prend sa source. Coup d'œil magnifique sur cette région grandiose! Est-ce que les gens savent à quel point ils sont favorisés? Le vent soufflait avec force de sorte que nous frissonnions.

Par la suite, toujours accompagnés de mon oncle et de ma tante, nous visitâmes différentes attractions touristiques. Tôt un matin, ils nous entraînèrent au cap Trinité, le long du Saguenay. Nous les suivions dans une deuxième voiture. Une route montagneuse serpentait jusqu'à notre destination. Heureusement que Roger est un bon conducteur. Il eut tout juste le temps de freiner et d'éviter la roue perdue par le camion à remorque qui le précédait. J'avais hâte de visiter cet endroit que je n'avais jamais vu.

Nous garâmes nos autos. Ma tante et mon oncle restèrent dans leur voiture. Leurs enfants nous suivirent. Le centre d'accueil avait ouvert ses portes. La naturaliste nous avertit. Des ours, notamment des femelles et leurs petits, sortaient de leur hibernation. Affamés, ils quémandaient leur nourriture. Il ne fallait donc pas les nourrir. Le meilleur moyen de les effrayer et de les éloigner était de déambuler en groupe, de parler fort et de faire du bruit. Tout le monde avait promis de ne rien dire à ma tante.

En temps normal, Stella était craintive. Le moindre bruit

la terrifiait. Qu'aurait-elle fait en présence d'une bête sauvage ? Si elle avait appris l'interdiction, elle aurait voulu rentrer. Nous aurions été obligés de la suivre. Le sentier nous invitait. Nous ne le fîmes pas attendre.

— Il me semble que j'ai vu le derrière d'un ours, murmura Stella.

— C'est ton imagination, intervint ma mère.

Le fou rire nous saisit. Nos lèvres risquaient d'être ensanglantées tellement nous les mordions. Nous admirions le paysage au fur et à mesure de notre ascension. Un immense bloc de pierre gisait au travers de la pente. Il formait saillie au-dessus du sentier. Qui l'avait poussé à cet endroit ? Comment ? Et avec quoi ? Mon oncle Roger nous expliqua que les glaciers l'avaient transporté. Il était resté en place après la fonte des glaces.

Nous avons vu des trientales boréales, des colonies de quatre-temps et des sabots de la vierge. Toutes ces plantes étaient en fleur. Mon oncle nous recommanda de ne pas cucillir ces dernières. Elles étaient protégées. Ces orchidées se reproduisent difficilement.

Finalement, nous arrivâmes à l'immense statue de la Vierge Marie. En passant devant le promontoire, les navires et autres embarcations actionnaient leur sirène. Cette salutation ou forme de respect est devenue une tradition depuis le vingtième siècle. Au retour, un orage éclata. De courte durée, il nous obligea à trouver refuge dans une halte. Au moment de reprendre la route, nous avouâmes à Stella qu'elle avait bien vu un ours. Incrédule, ma tante fit la moue. Elle ne voulait plus nous adresser la parole. Son comportement infantile nous amusa au plus haut point. Évidemment elle ne tint pas parole. Nous rîmes beaucoup. Elle, la première.

~

Nous partîmes tôt, un matin. Rien de spécial pendant le trajet, sauf la longueur démesurée des côtes. Des hommes réparaient déjà la route sur quelques kilomètres. À Saint-Siméon, nous attendîmes le traversier.

Sur le fleuve, nous cherchions en vain la présence de mammifères marins. Nous accostâmes à Rivière-du-Loup. Roger et sa famille nous conduisirent à Rivière-Trois-Pistoles. Malheureusement, il faisait froid, surtout sur la plage.

Il nous restait quelques sandwiches de l'avant-veille. Nous n'avions pas envie de les manger. J'aperçus un goéland. Bonne idée. Je retournai à l'auto. J'avais tout juste le temps de lancer une moitié de sandwich en direction du goéland. Aussitôt, des dizaines et des dizaines de ses congénères, surgis de nulle part, se précipitèrent vers nous. Il ne faut pas oublier de mentionner qu'ils criaillaient à qui mieux mieux.

Je ne pouvais déballer ceux qui nous restaient. Obligé de les lancer, je n'avais pas envie d'être attaqué par ces *vautours* affamés. Ils auraient pu nous dévorer sur place. Nous battîmes rapidement en retraite dans nos voitures.

Nous reprîmes la route. Les collines nous invitaient. De ces hauteurs, nous pouvions contempler la *mer*, comme disent les gens de la place. À Saint-Cyprien, nous descendîmes près de la rivière Toupiké sur le terrain d'un des frères de Roger. Le chalet était fermé. Nous allâmes ensuite à Saint-Clément. Nous parcourûmes le sentier abrupt en bordure de la rivière Sénescoupé.

∼

Sans les jardins zoologiques, on ne pourrait pas admirer des animaux rares ou exotiques. Certains scientifiques en profitent pour les étudier.

Ma sœur Florence s'extasiait devant les rhinocéros, les girafes et les éléphants. L'un de ces pachydermes plongea sa trompe dans son sac de chips. Elle venait tout juste de l'entamer. Il le vida de son contenu. Puis il remit à ma sœur le sac vide. Il ne mangeait pas de plastique. La surprise passée, nous commentâmes l'incident. Encore aujourd'hui, l'événement accroche un sourire à nos lèvres.

Pour chasser son ennui et son stress, un tigre se promenait de long en large. Que faire d'autre quand on est prisonnier d'une cage? Appareil photo en bandoulière, Florence attendait que l'animal se calme. Son manège se poursuivait. De guerre lasse, elle demanda humblement au fauve de prendre la pose. Aussitôt, il s'immobilisa. Il s'étendit à la manière d'un sphinx d'Égypte. D'un air hautain, il regarda ma sœur. Elle le photographia immédiatement. Puis il reprit sa marche forcée. Elle répéta en vain l'expérience. S'agissait-il d'une coïncidence? Comment ne pas se poser des questions après cela?

~

Je revenais de l'école. Je marchais sur le trottoir. Absorbé par un problème de mathématiques qu'on nous avait demandé de résoudre, je me dirigeais vers le coin d'une ruelle. Aussitôt, je fis demi-tour, prenant mes jambes à mon cou, je freinai brusquement. Je revins sur mes pas. Je vis un chien qui s'enfuyait dans le sens contraire. Il avait eu peur, tout comme moi. Je le laissai courir.

Je l'avais effrayé. Je me sentis brave… sur le moment.

~

S'agissait-il d'un magicien, d'un prestidigitateur ou d'un humoriste? Après des tours de cartes, il joua de la flûte. Tout à coup, il cessa.

— J'ai entendu du bruit, fit-il d'un air mystérieux. Je pense que je tiens un lapin.

Il plongea sa main dans un chapeau haute-de-forme. Il en sortit une carotte sous les rires de l'auditoire. Désinvolte, il poursuivit sa démonstration. Il tenait une carafe.

— Je vais changer cette eau en jus de tomates.

Il se planta au milieu de la scène. Il recouvrit le tout d'un voile. Il prononça des paroles magiques. Et on vit apparaître un liquide blanc.

— C'est du jus de vache ! J'ai dû me tromper de formule.

10

Les propriétaires de chats savent que ces derniers préfèrent les hauteurs. On les retrouve dans les élévations : meubles, armoires, buffets. Ils adorent la proximité des plafonds. Excellents sauteurs, ils se réfugient dans des endroits différents, selon leurs fantaisies. Leur humeur du moment commande leur choix. Ces animaux cherchent à dominer les situations.

Ils font semblant de ne rien voir. Intelligents, ils enregistrent tout.

Certains leur attribuent des défauts normalement dévolus aux êtres humains. On soutient, entre autres, qu'ils sont hypocrites. C'est mal connaître ces animaux. On peut les laisser dans une maison, deux ou trois jours. Au retour, on ne retrouve pas son appartement sens dessus dessous, contrairement aux chiens. Ceux-ci, plus dociles, préfèrent la compagnie comme leurs ancêtres qui vivaient en meute.

Il m'arrivait souvent de chanter ou de fredonner *Chat perché* sur l'air du cantique de Noël *Ça, bergers*.

Nous avions baptisé le chat de la maison, Grisou. Quand je l'appelais pour manger, il arrivait à toute vitesse par la chatière. Mon père avait pratiqué dans le bas d'une porte une ouverture pour le laisser passer. Libre, il sortait ou entrait comme bon lui semblait.

Indépendant, il se frottait à nous quand il le voulait, jamais sur commande. Il ronronnait pour nous remercier ou pour toutes autres raisons connues de lui seul.

Comme il n'était pas rentré de la journée, je l'appelai. Il ne se présenta pas. J'étais habitué à ses fugues. Il reviendrait tôt ou tard.

Le lendemain, je commençais à m'inquiéter. Le froid faisait son apparition. L'automne battait la marche. Je réitérais mes appels. Sans succès. Il demeurait introuvable. Je me faisais des idées. Les suppositions les plus folles peuplaient mon imagination.

Finalement, à bout de nerfs, je descendis dans le jardin. Je le trouvai noyé dans la piscine à moitié vide. Quel choc ! Je frémissais de rage. Pourtant, il avait peur de l'eau.

Abattu, je racontai la mésaventure à toute la famille. Sur le coup, Florence se mit à pleurer à chaudes larmes. Elle aimait le petit être de tout son cœur d'enfant. Ma mère la prit dans ses bras pour la consoler. Pouvais-je blâmer ma sœur, lui faire la leçon ? Je comprenais sa douleur.

Plus jeune, un ami et moi avions trouvé sur le trottoir un oiseau mort. Nous étions tristes, les larmes aux yeux. Nous l'avions déposé dans une boîte. Après une procession et des chants funèbres, nous l'avions enterré en grande pompe.

Je soupçonnais un voisin qui n'aimait pas les chats. Était-il responsable du méfait ? J'aurais mis ma main au feu.

— Avant d'accuser quelqu'un, il faut des preuves, déclara mon père.

Des présomptions emplissaient ma conscience. Pourtant, mon intuition m'avertissait du contraire. Je fis la moue.

Quand ils apprirent la nouvelle, mes grands-parents de la campagne me donnèrent un chat. À la fois triste et joyeux, j'acceptai l'intrus du bout des lèvres. Je décidai de l'appeler Minou, avant de trouver un autre nom. Je le soignais du mieux que je pouvais. Je l'entourais d'amour. Je me rendis à la bibliothèque de mon arrondissement. J'empruntais des livres pour parfaire mes connaissances.

Depuis trois jours, je l'appelais à tout bout de champ. Je le cherchais. Je jetai un coup d'œil dans la piscine. Je demandai si on l'avait vu. Je posai des affiches. Sans résultat. Cet être plein de vie s'était enfui. Je devais me rendre à l'évidence. Je ne le reverrais jamais.

Une nuit, je rêvai de lui. Il m'apparut, tout ébouriffé, mal en point.

«Reviens, lui dis-je. Je te soignerai. Je te caresserai. Tu auras tout ce qu'il te faut. Tu ne manqueras de rien. Tu seras le plus heureux des chats. Rentre à la maison.»

«Pourquoi? répondit-il. Je suis un chat de campagne. Iras-tu chasser à ma place? Pourrais-je compter sur toi pour me donner l'entière liberté?»

Quelques jours plus tard, il se présenta sur mon perron. Je m'approchai lentement. Je ne voulais pas l'effaroucher. C'était bien lui. Ses taches blanches près de la tête me confirmaient son retour.

J'avais envie de le prendre dans mes bras et de l'embrasser. Vous dire à quel point la joie me soulevait serait impossible.

J'essayai de le faire entrer dans la maison. Il refusa. Je lui présentai sa nourriture quand même. Il l'avala comme un véritable glouton. Tout à coup, je me souvins de mon rêve.

«Je ne suis pas un chat de maison, m'avait-il répété. Je veux être libre.»

Il s'éloigna. Il tournait la tête de temps à autre. Il m'observait. Il voulait me faire comprendre qu'il était toujours vivant. Résigné, je le laissai libre. Je ne le revis jamais. À ce moment-là, je jurai que je n'aurais plus de chat.

Rien n'est plus amusant que d'essayer d'attraper des lucioles. On appelle surtout ces insectes *mouches à feu*. C'est un calque de l'anglais *fire flies*. Le jour, elles se cachent sous les feuilles des végétaux. Elles dorment profondément. Mon grand-père nous avait montré comment les capturer. Nous les avions mises dans des pots en verre avec des feuilles. Nous avions percé des trous dans les couvercles pour qu'elles respirent.

Nous étions impatients que le soir arrive. Dans le noir, le perron brillait de leur lumière. Ma grand-mère prit les trois pots. Elle les disposa en triangle, la pointe vers le bas. Nous étions émerveillés. Quel spectacle féerique !

— Chacun de nous, expliqua ma grand-mère, entretient sa propre lumière. Son intensité dépend, entre autres, de notre positivisme, de nos talents. Individuellement, nous sommes faibles. Ensemble, nous formons une plus grande force.

Pour illustrer son propos, elle relâcha les insectes.

Propriétaire d'une boutique de fleurs, ma mère soignait ses employées. France et Rose s'affairaient avec passion. Ces trois personnes aimaient leur métier. Elles formaient un trio indissociable. Quel bonheur de pénétrer dans ce lieu mystérieux et de partager leur joie. Les plantes de toutes les tailles, les fleurs de différentes couleurs, les multiples odeurs mêlées et surtout la très forte humidité nous rappelaient la jungle.

Pour la première fois, un homme d'un certain âge se présenta. Il fureta quelque peu dans le magasin. Il appréciait ce qu'il voyait. Il choisit une plante en pot, des bibelots et un bouquet. Il les déposa sur le comptoir. La plupart des clients présentaient une carte de crédit. Il ne fit pas exception.

Ma mère a failli s'étrangler en lisant le nom.

— Je sais que mon nom porte à rire, expliqua l'étranger. Mais il est authentique. Chonchon est le patronyme que mon père m'a légué. Qui puis-je?

— Je ne ris pas de vous, se défendit ma mère. J'ai trop de respect pour vous, même si je ne vous connais pas.

Trop petite pour prononcer correctement, Florence avait attribué à son ourson en peluche le nom de Chonchon. Nous avions trouvé charmante cette déformation. Nous l'avions donc adoptée aussitôt. Inutile de dire qu'elle est encore sur toutes les lèvres. Nous souhaitons même que cette appellation survive dans les siècles des siècles.

~

— Viens ici, Georges, commanda Rose, une employée de ma mère.

Son mari ouvrit un œil, puis les deux yeux. Il se leva lentement. Il somnolait sur le canapé moelleux. D'un pas nonchalant, il marcha vers l'arrière.

— J'en ai par-dessus la tête, fulmina-t-elle. C'est sûrement un chat errant qui perce nos sacs à ordures. Ce n'est pas la première fois que je le dis. Tu devrais faire quelque chose. J'espère que tu vas m'écouter. Je ne nettoierai plus le perron.

Georges se rendit à la quincaillerie du voisinage. Il se procura une solide poubelle. Rose était enfin contente. Elle admirait l'objet de ses rêves.

— La poubelle est renversée, s'exclama-t-elle. Tout est à la traîne. Cette fois-ci, je le tiens ! Monsieur le chat s'éloigne en se dandinant.

Georges saisit sa compagne par un bras. Il la poussa dans la cuisine et ferma la porte.

— Ce n'est pas un chat, s'écria-t-il. C'est une moufette ! Que fait-elle en ville ?

11

Mon père avait un grand amour des plantes. Il les connaissait parfaitement. Il les cultivait avec succès. Bref, il avait la main verte. (Les Américains disent *green thumb* que nous traduisons mot à mot par *pouce vert*.) Il désirait me transmettre ses connaissances. Il avait acheté un immense terrain, qu'il engraissait chaque année.

Il avait aménagé des couloirs. Nous pouvions donc atteindre les légumes : maïs, tomates, concombres, haricots, oignons, betteraves, carottes, laitues, choux, etc. Je n'oubliais pas les fraises, et pour les confitures. Mais ma préférence allait aux framboises. Elles se multipliaient facilement le long des clôtures. Elles attiraient aussi des guêpes.

Dans le coin gauche, mes parents avaient planté un chêne à ma naissance. Un tronc court et vigoureux se développait lentement. Je le regardais fréquemment. Je l'examinais. Il ne poussait pas assez vite à mon goût. J'avais hâte de m'abriter sous son feuillage. Le soleil lui donnait toute sa force et sa majesté.

Plus jeune, je croyais que le ciel cachait différentes lunes. Selon moi, elles tomberaient sur la terre, un jour ou l'autre.

En orbite naturelle, elle était unique. Je perdis mes illusions. Croissante et décroissante, elle affichait plusieurs phases dans un mois. Tout cela demeurait un mystère pour moi.

Au centre du potager se trouvait une cabane. Mon père entreposait tous ses outils : bêche, arrosoir, pioche, fourche, râteau, sécateur et autres.

Loin de la maison, le jardin accusait une pente assez forte. Il creusa des trous au milieu des allées. Il inséra des tonneaux munis de couvercles à bascule. Le bois présentait quatre ouvertures opposées. Ces trappes permettaient de recueillir l'eau de ruissellement. Bienfait du ciel, la pluie était donc accueillie avec soulagement.

Au printemps, une fois la terre remuée, il ouvrait des sillons. Il surveillait la germination des plantes. Je le suivais comme un chien de poche. Je lui posais une foule de questions. Patient, il répondait du mieux qu'il pouvait.

Devant mes demandes répétées, il me remit des semences d'oignons. Il n'avait pas besoin de m'indiquer le mode d'emploi. Je l'avais observé assez souvent. Mais j'ignorais que les graines étaient minuscules. Trop de plantules sortaient de terre. Il avait été obligé d'éclaircir les rangs à maintes reprises. La désolation et l'orgueil flambaient en moi. Il ne se moqua pas de mon inexpérience. Mes yeux se remplirent de larmes. Je fis des efforts pour ne pas pleurer.

— Ce n'est pas grave, affirma-t-il. C'est comme ça qu'on apprend.

Des menthes formaient un grand cercle. Il les arrachait. Il les remettait à ma mère. Mais elles agrandissaient le rond d'année en année. Véritable insecticide, leur parfum chassait les insectes nuisibles. Cependant, des abeilles butinaient les fleurs.

À la périphérie, s'était établi un arbuste qu'il ne connaissait pas. Il avait gratté la terre avec délicatesse. Il fut surpris de découvrir un noyau de pêche. Tout le monde sait que cet arbre ne prospère pas à cause de l'hiver. J'avais enfoui le noyau. J'avais oublié mon geste.

Chaque automne, mon père couvrait le pêcher. Il donna même une fleur. La fierté m'habitait. Le gel rigoureux ôta la vie à mon arbre chéri. Toujours vivace, son souvenir me hantera jusqu'à la fin de mes jours.

Parallèles au potager, près du mur sans fenêtres du garage (qu'on appelle aussi mur aveugle), se dressaient des arbrisseaux. Grimpante, la tige d'une plante fournissait des fruits épineux. On l'appelait *concombre sauvage*. On l'a baptisé du nom rébarbatif d'*Échinocystis*. On s'amusait à faire éclater ses capsules sur des surfaces cimentées.

~

Notre promenade dans les Îles de Boucherville se déroulait sans incident. Sur la route qui conduit au parc de stationnement, des panneaux nous mettaient en garde. Des cerfs de Virginie avaient donc investi les îles. Savent-ils que la chasse est interdite dans ces lieux? Nous avions aperçu différents animaux : ratons laveurs, moufettes, couleuvres, lapins ou lièvres, grands ducs, mais jamais de chevreuils.

Mes grands-parents, Gaston et Liliane, avaient découvert un cerf sur leur terrain. Il avait sûrement traversé à la nage. Pourtant, mamie et papi vivaient dans l'ouest de Montréal.

L'animal broutait paisiblement. Des agents vinrent le chercher. Ils l'endormirent. Ils le transportèrent dans la forêt. Il eut plus de chance que l'orignal. Tombé dans un fossé, il s'était brisé une patte. On avait dû l'abattre.

Quelle ne fut pas notre surprise d'apercevoir un phoque dans le fleuve. Il attrapait de gros poissons, contrairement à nous. Nous revenions souvent bredouilles de nos expéditions. Quelques jours plus tard, nous apprîmes par les journaux, photos à l'appui, qu'un jardin zoologique avait capturé le mammifère marin.

Gaston de Montréal ne fabulait donc pas. Il affirmait à qui voulait l'entendre qu'une baleine se promenait dans le port. Dans les eaux, évidemment. On ne le traiterait plus de menteur.

∼

Pendant que mon père descendait son hors-bord, je m'amusais à observer des petits poissons. Ils nageaient dans les rapides qui relient les deux lacs. Je réfléchissais. J'alertai bientôt Rémi. Il accourut à ma rescousse. Il s'imaginait sans doute que je m'étais blessé.

— Pourquoi ne prend-il pas l'autre branche du ruisseau ? questionnai-je immédiatement. Le courant est beaucoup moins fort. Il est même calme.

— Il s'agit probablement d'un goujon. Ce cyprin fait partie d'une famille plus grande. Bien déterminé, ce petit poisson aime les eaux vives. Il s'engage allégrement dans les rapides. Il multiple ses efforts pour gagner quelques centimètres. Le courant l'entraîne vers le bas. Et le manège recommence. Il se nourrit principalement de larves. Même s'il nage vite, il devient la proie de l'omble de fontaine.

∼

Par un beau samedi d'automne, nous nous promenions au Jardin botanique, mes parents et moi. Nous respirions à pleins poumons. Le soleil commençait à réchauffer l'air frais. Assis sur un muret de pierres, nous donnâmes des arachides à un écureuil. Véritable goinfre, il empêchait les autres de s'approcher de lui. Il chassait tout ce qui bougeait!

Ventre à terre, il rampait péniblement.

Je le baptisais donc *écureuil écœuré*!

Achevé d'imprimer en septembre 2010
sur les presses numériques de
umen I digital, à Montréal